선덕여왕

지혜로 나라를 다스리다

원작 일연 글 구들 그림 조성덕 감수 최광식

차가운 겨울 바람이 물러가고 서라벌*에 봄이 왔어요.

대궐 뒤뜰에는 벚꽃이 활짝 피어 있었지요.

승만 공주가 바람에 날려 떨어진 꽃잎을 밟으며 사뿐사뿐 걸어왔어요.

"덕만 언니! 어서 나와요. 이제 곧 출발해요."

그 소리에 다른 한 소녀가 창밖으로 얼굴을 내밀었어요.

진평왕의 딸 덕만 공주였지요.

"오늘이 춘추의 생일인데 덕만 언니는 꾸미지도 않고

그렇게 책만 읽고 있으면 어떡해요?"

덕만 공주는 책을 덮으며 빙긋이 웃었어요.

"조카 생일 잔치에 이모가 요란하게 꾸밀 필요가 뭐가 있니?"

덕만 공주는 수수하고 검소한 사람이었어요.

하지만 책 읽기를 좋아하는 덕만 공주의 얼굴에서는

지혜로운 사람만이 가질 수 있는 독특한 매력이 느껴졌지요.

진평왕은 여러 딸 가운데서 덕만 공주를 가장 아꼈어요.

그래서 때가 되면 덕만 공주에게 왕위를 물려주어

나라를 다스리게 하려는 생각을 품고 있었지요.

* 서라벌 : 신라의 옛 이름

생일을 맞은 김춘추는 천명 공주의 아들이었어요.
김춘추의 집 앞은 축하 인사를 하러 온 귀족들로 시끌벅적했어요.
이윽고 화려한 가마를 타고 진평왕과
덕만 공주, 승만 공주가 도착했어요.

귀족들이 뒤에서 수군거리기 시작했어요.

"왕위를 이을 왕자가 없으니 참으로 걱정이오."

"그렇다면 다음 왕은 당연히 왕족 중에서 골라야 하지 않겠소?"

"글쎄, 공주이긴 하지만 덕만 공주님은 훌륭한 성품과 지혜를 지니셨으니 장차 이 나라를 잘 다스리실 것 같기도 하오만……."

"공주가 왕이 되다니! 그건 말도 안 되오."

덕만 공주는 귀족들의 이런 수군거림을 모두 듣고 있었어요.

'머지않아 그대들은 나를 왕으로 모시게 될 것이오.

나는 반드시 훌륭한 왕이 될 것이오.'

덕만 공주는 이렇게 다짐했어요.

"이모님들께서 와 주시니 참으로 영광입니다."

김춘추가 덕만 공주와 승만 공주에게 의젓하게 인사했어요.

김춘추는 올해 열다섯 살로, 화랑* 수련을 받고 있었지요.

김춘추의 아버지 김용춘이 무겁게 말을 꺼냈어요.

"다들 폐하께 왕자님이 없고 공주님만 있다 하여 말이 많습니다. 만약 폐하께서 갑자기 돌아가시기라도 하면 새 왕을 뽑는다는 핑계로 반란을 일으킬 것입니다."

그러자 진평왕이 말했어요.

"이보게, 나는 덕만 공주에게 왕위를 물려줄 생각이네. 내가 죽은 후에 혹시 덕만 공주가 왕이 되는 것을 반대하는 세력이 있다면 자네가 막아 주길 바라네."

옆에서 조용히 듣고 있던 김춘추가 씩씩하게 말했어요.

"덕만 이모님은 훌륭한 왕이 되실 겁니다. 제가 이모님을 지켜 드릴 테니 염려 마십시오."

덕만 공주도 미소를 지으며 말했어요.

"아바마마, 이런 든든한 조카가 있는데 뭐가 걱정이겠습니까?"

모두들 김춘추와 덕만 공주를 흐뭇하게 바라보았답니다.

---

*화랑 : 신라 때, 무예를 익히고 심신을 단련하여 삼국 통일에 이바지한 청소년 수련 단체나 그에 속한 사람

7

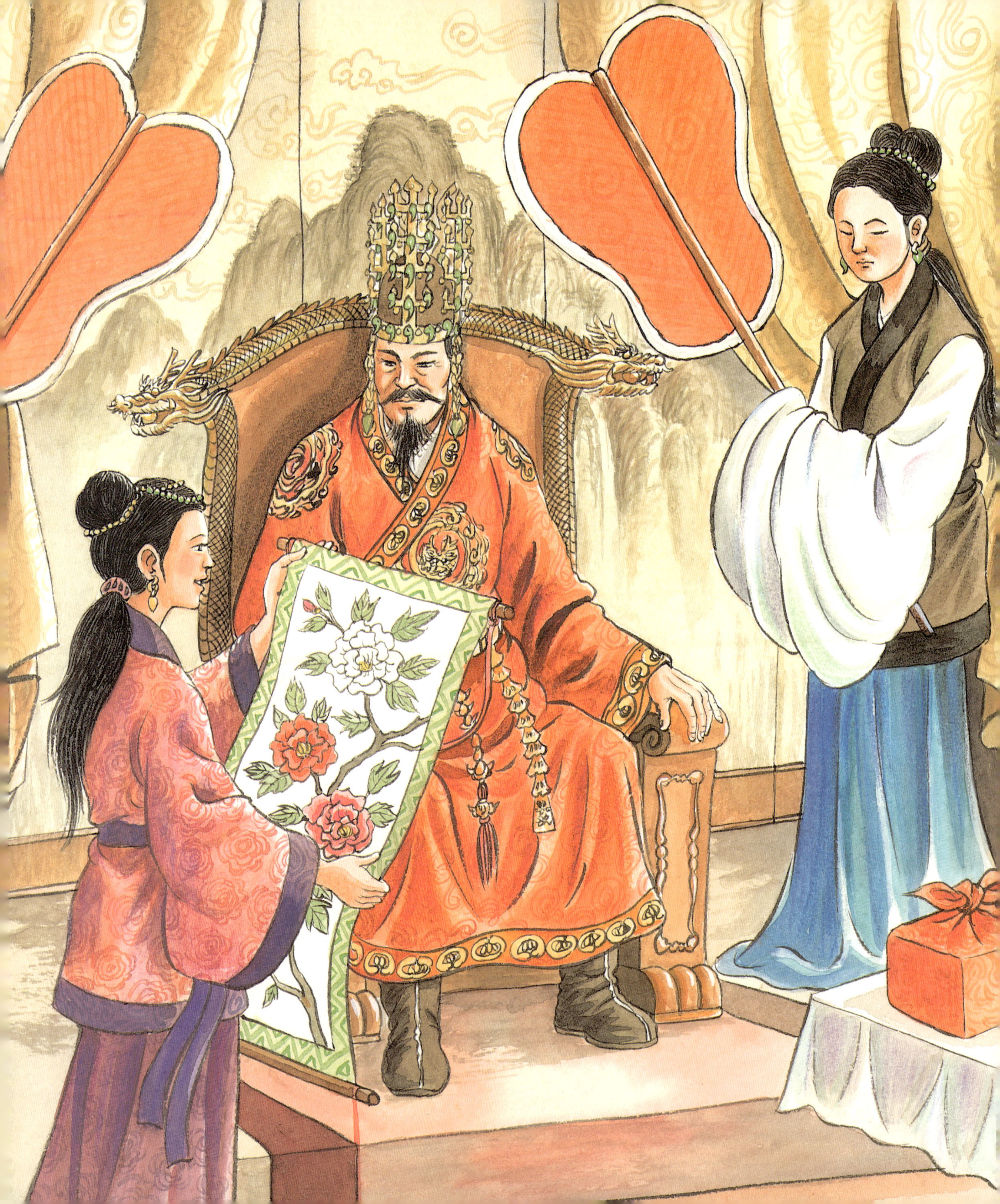

그러던 어느 해, 당나라 황제가
그림과 꽃씨 한 봉지를 신라에 보내왔어요.
그림에는 신라에서는 아무도 본 적이 없는 꽃이 그려져 있었지요.
모두들 신기해 하며 그림을 들여다보는데 덕만 공주가 조용히 말했어요.
"이 꽃은 아름답지만, 향기가 없군요."
"아니, 그림을 보고 꽃에 향기가 있는지 없는지 어떻게 아느냐?"
진평왕이 묻자 덕만 공주가 대답했어요.
"꽃씨를 심어 꽃이 피면 제 말이 맞다는 것을 아실 것입니다."
꽃씨를 심자 싹이 나고 자라 꽃이 피었는데
놀랍게도 덕만 공주의 말처럼 그 꽃에서는 향기가 나지 않았어요.
"과연 향기가 나지 않는구나. 그런데 어떻게 그것을 알았느냐?"
덕만 공주가 그림을 펼쳐 보이며 말했어요.
"꽃에서 향기가 나면 벌과 나비가 모여드는 것은 당연한 이치지요.
그런데 이 그림에는 벌과 나비가 없지 않습니까?"
진평왕과 대신들은 덕만 공주의
총명함에 감탄했어요.

그날 밤, 덕만 공주와 김춘추가 대궐 뜰을 걷고 있었어요.

"이모님, 왜 그렇게 어두운 얼굴을 하고 계십니까?"

김춘추가 묻자 덕만 공주가 말했어요.

"춘추야, 너는 당나라 황제가 왜 그런 그림을 보냈다고 생각하느냐?"

갑작스러운 질문에 김춘추는 고개를 갸우뚱했지요.

덕만 공주가 나지막한 목소리로 말을 이었어요.

"그 그림 속의 꽃은 모란꽃이란다. 모란꽃은 아름답지만 향기가 없어서 벌과 나비가 모여들지 않지. 당나라 황제는 혼인하지 않고 혼자 있는 나를 비웃으며 그림과 꽃씨를 보낸 거야. 그렇지 않아도 신라를 얕잡아 보고 있는데 여자가 왕이 되면 신라를 실컷 무시하겠다는 뜻이겠지. 게다가 귀족들마저 내가 왕이 되면 나라가 망할 거라고 생각하고 있어. 하지만 그들이 생각하는 것처럼 되지는 않을 거야!"

덕만 공주는 주먹을 꼭 쥐었어요.

11

몇 년 뒤, 진평왕이 병으로 세상을 떠났어요.
귀족들은 자기들이 원하는 사람을 왕위에 올리기 위해
머리를 맞대고 계획을 짜고 있었지요.
그때, 방문이 벌컥 열리더니 군사들이 들어왔어요.
"누, 누구냐?"
귀족들이 깜짝 놀라며 물었어요.
그러자 군사들 사이에서 김용춘의 엄한 목소리가 들려왔어요.
"감히 그대들이 선왕*의 뜻을 거스르려는 것인가!"
덕만 공주가 왕위에 오르는 것을 반대하는 귀족들의 움직임을
살피던 김용춘이 들이닥친 것이었지요.
덕만 공주 대신 다른 사람을 왕으로 세우려던 귀족들은
사형을 당하거나 나라 밖으로 쫓겨났어요.
이렇게 하여 덕만 공주가 진평왕의 뒤를 이어
신라 제27대 선덕여왕이 되었지요.

*선왕 : 지금 임금 바로 전의 임금

13

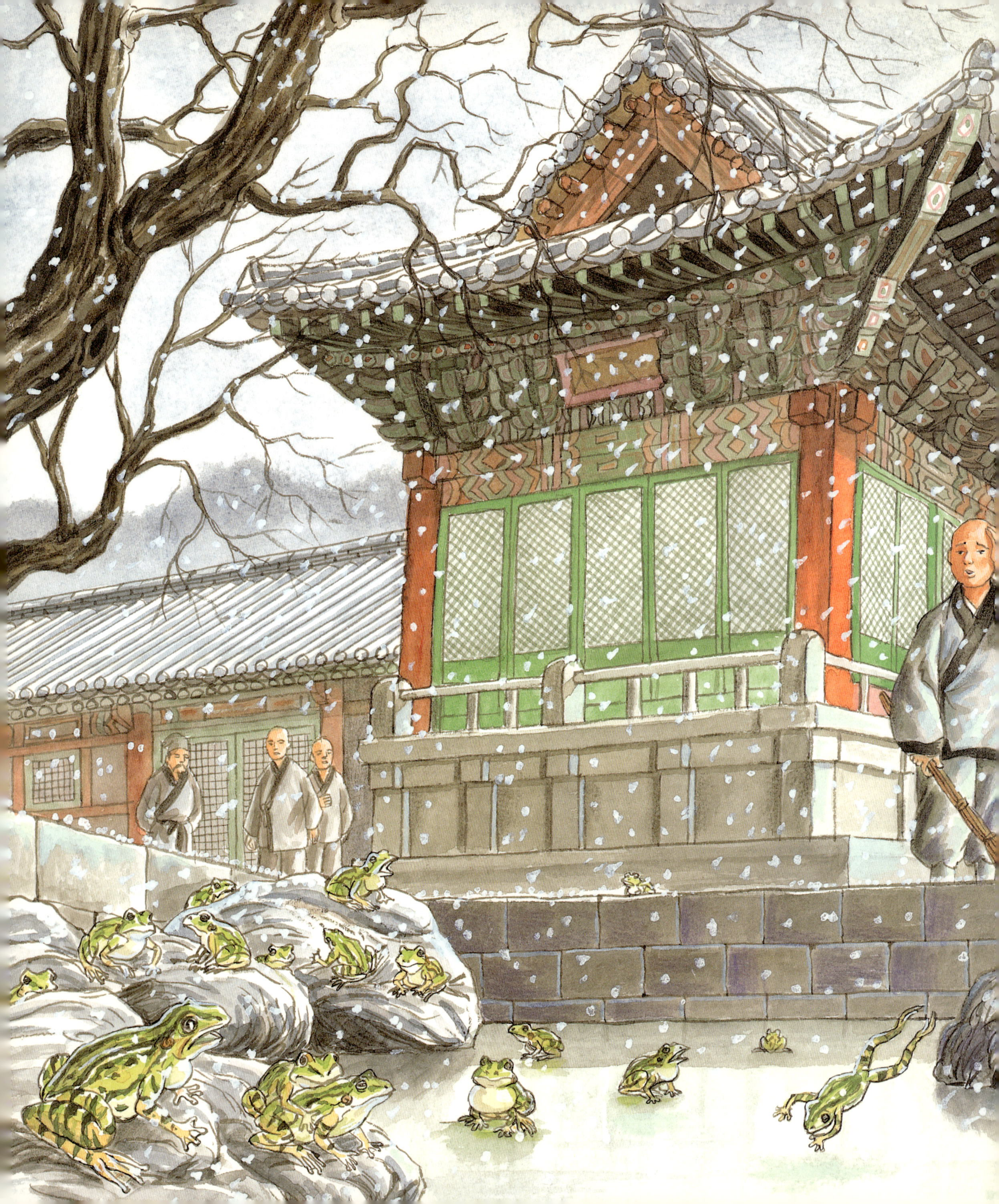

덕만 공주가 왕위에 오르고 얼마 안 있어 이상한 일이 벌어졌어요.
서라벌에 영묘사라는 절이 있는데 절 마당에 아름다운 연못이 있었지요.
사람들은 그 연못을 옥문지라고 불렀어요.
흰 눈이 펑펑 내리던 겨울날, 갑자기 옥문지에
개구리 떼가 나타나서 울어 대기 시작한 거예요.
"한겨울에 개구리가 울다니 대체 이게 무슨 일이란 말이오!
아무래도 나라에 뭔가 불길한 일이 일어날 것 같소."
대신들과 백성들은 가슴을 졸였어요.
한편, 선덕여왕을 싫어하던 귀족들은 좋은 기회라고 생각했어요.
여자가 왕이 되었으니 이상한 일이
일어나는 거라며 선덕여왕에게 잘못을 돌렸지요.
그러고는 선덕여왕을 몰아내고 새로운 사람을
왕위에 올리자고 부추기기 시작했어요.

이 소식을 들은 선덕여왕은 알천 장군과 필탄 장군을 불러 명령을 내렸어요.
"군사 2천 명을 데리고 서라벌 서쪽에 있는 여근곡이라는 골짜기로 가시오. 거기에 분명 백제군이 숨어 있을 것이니 그들을 잡아 오시오!"
알천 장군과 필탄 장군은 선덕여왕의 뜬금없는 명령에 고개를 갸웃거렸지요.

하지만 선덕여왕을 믿고 따르던 두 사람은 각각 군사 1천 명을 이끌고
서라벌 서쪽으로 향했어요.

"여근곡을 아시오? 나는 여태껏 그런 곳이 있다는 이야기를 들어 본 적이 없소."

"나도 그러하오. 하지만 여왕 폐하의 명령이니 반드시 찾아야 합니다."

며칠을 헤맨 두 사람은 신라와 백제의 경계가 맞닿는 곳에 도착했어요.

그 마을에 있는 골짜기가 바로 여근곡이었지요.

알천 장군은 몸이 재빠른 젊은 군사 한 명과
전쟁 경험이 많은 늙은 군사 한 명을 뽑았어요.

"마을 사람처럼 차려 입고 주변을 다니면서 백제군이 숨어 있는 곳을 찾아보아라.
나머지 군사들은 백제군을 찾을 때까지 조용히 기다리도록 하라."

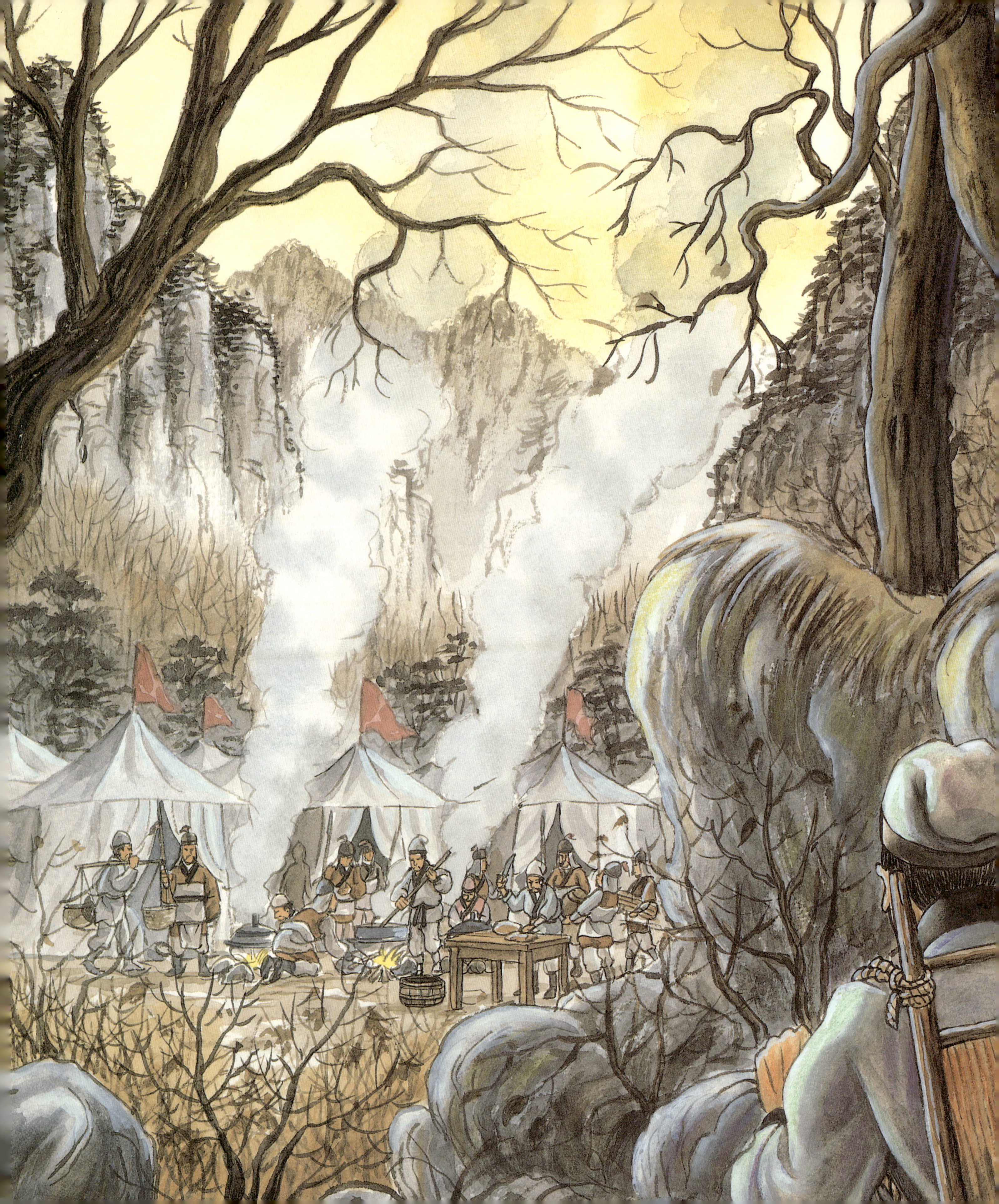

두 명의 군사는 나무꾼 차림을 하고
여근곡을 샅샅이 뒤졌어요.
한참을 찾아다니던 두 사람은 드디어 골짜기 깊은 곳에서
연기가 모락모락 피어오르는 것을 발견했어요.
두 사람은 몸을 바짝 낮추고 연기가 나는 쪽으로 다가갔답니다.
그곳에서 낯선 군복을 입은 군사들이 음식을 만들고 있었어요.
늙은 군사가 속삭였지요.
"저들은 백제군이야. 예전에 전쟁터에서 봐서 알아."
두 사람은 한걸음에 알천 장군과 필탄 장군에게 달려가
백제군을 찾았다고 보고했어요.
알천 장군과 필탄 장군은 바로 공격 작전을 세웠어요.
"내가 백제군의 앞쪽에서 공격하겠으니
필탄 장군은 골짜기 뒤쪽을 막고 있다가
달아나는 백제군을 치면 될 것이오."
"완전히 독 안에 든 쥐를 잡는 셈이군요. 하하하!"
밤이 깊어지자 신라군은 공격 준비를 서둘렀어요.
아무것도 모르는 백제군은
세상 모르고 깊이 잠들어 있었지요.

알천 장군은 백제군이 깊은 잠에 빠진 것을 확인하고는
공격 명령을 내렸어요.
"공격하라! 백제군을 무찌르자!"
신라군은 우렁찬 함성을 지르며 백제군이 숨어 있는 골짜기로 달려갔어요.
신라군의 갑작스러운 공격에 백제군은 크게 당황했지요.
잠이 덜 깬 백제 군사들은 부랴부랴 갑옷을 챙겨 입고
무기를 찾았지만, 때는 이미 너무 늦었지요.
신라군의 공격에 백제군은 바람 앞의 낙엽처럼 쓰러졌어요.
겨우 살아남은 백제 군사는 우왕좌왕하며
골짜기 뒤쪽으로 달아났어요.
하지만 골짜기 뒤쪽에는 이미 필탄 장군이 이끄는
신라군이 쫙 깔려 있었지요.
"한 명도 남김없이 모조리 해치워라!"
필탄 장군이 이끄는 신라군도 용감하게
백제군을 공격했어요.
백제군은 결국 신라군에게 항복할 수밖에 없었지요.
"여왕 폐하 만세! 만세!"
신라군은 여근곡이 떠나가도록
만세를 불렀어요.

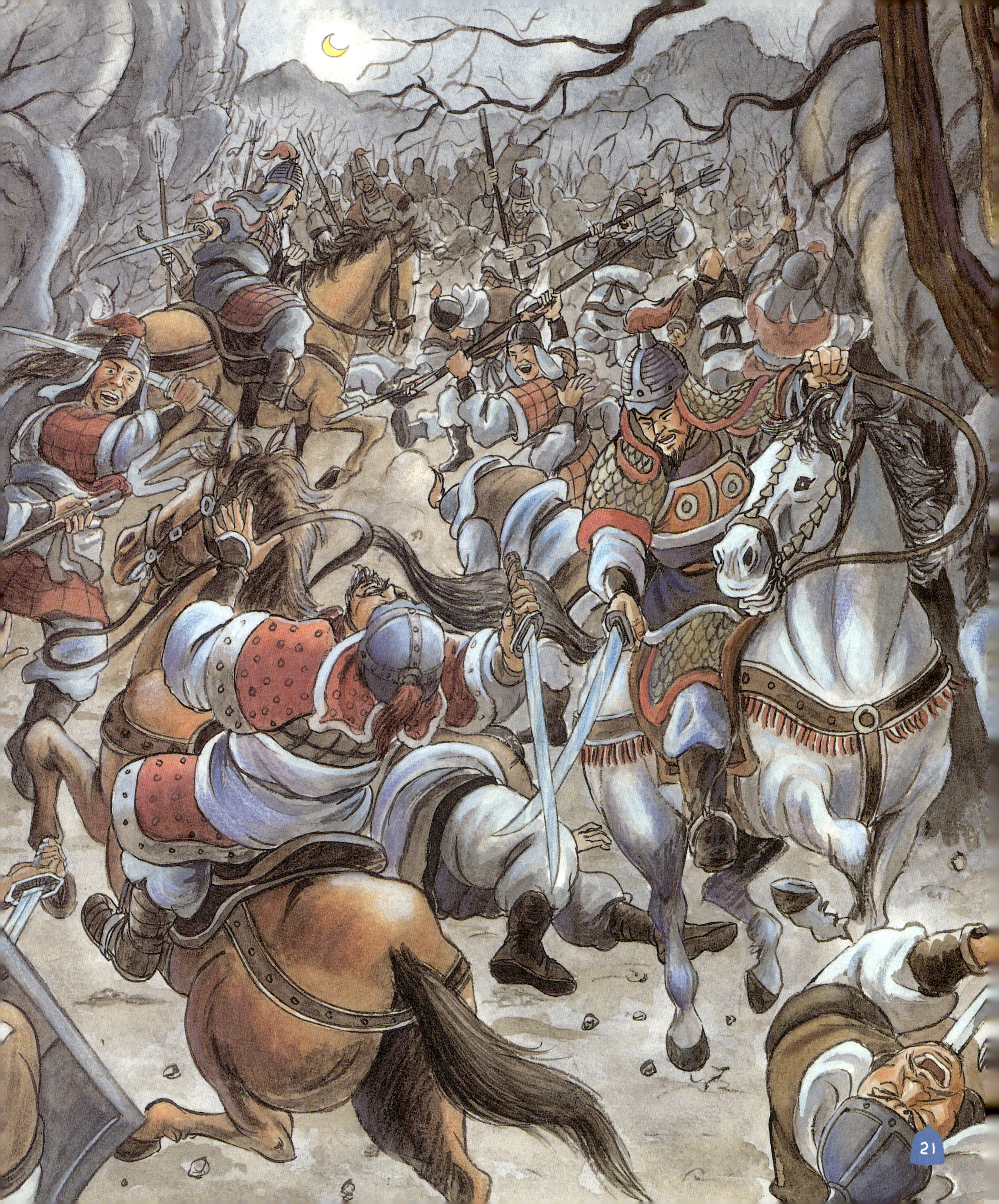

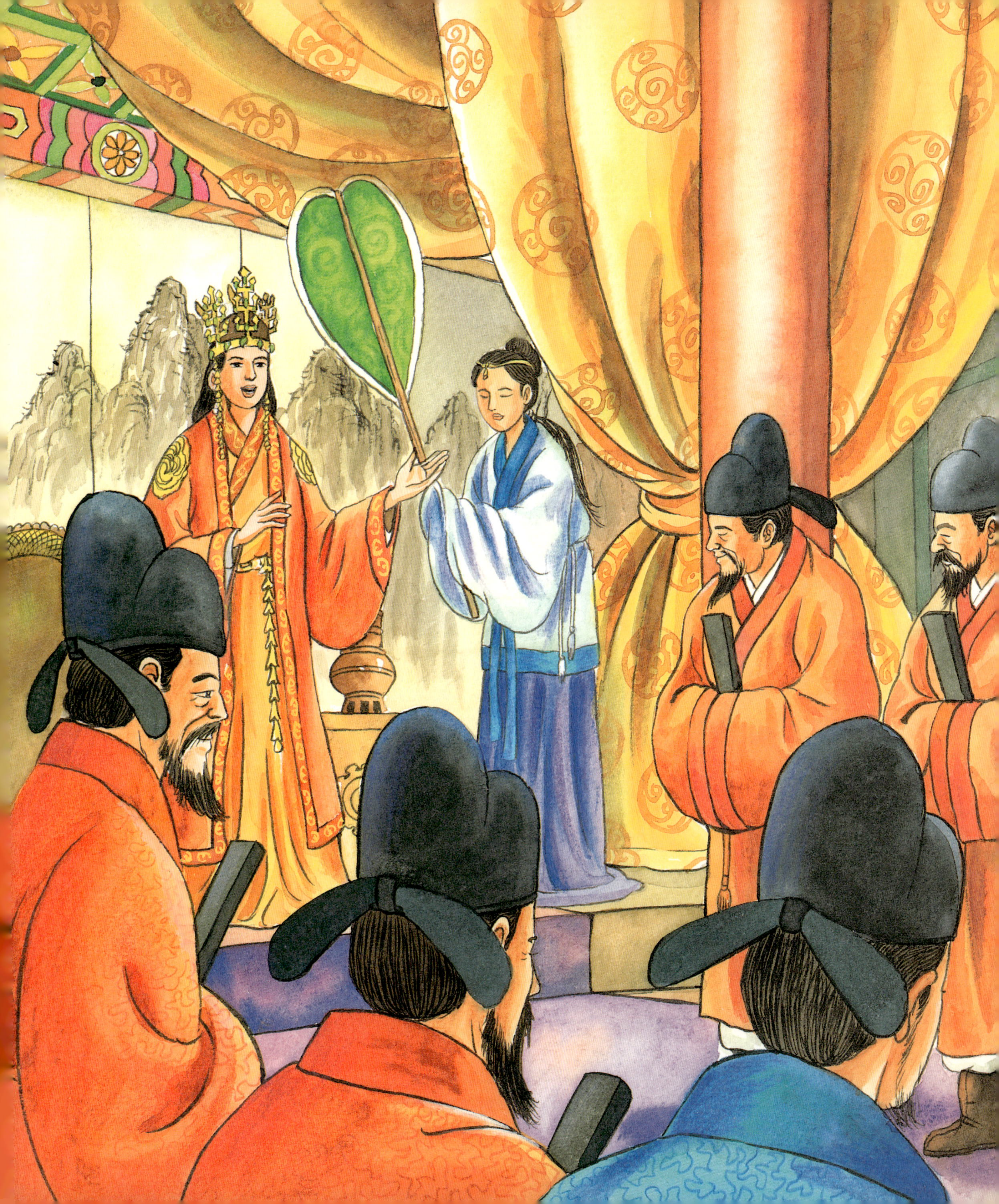

여근곡에서 거둔 승리로
대궐 안은 온통 잔치 분위기였어요.
대신들이 선덕여왕에게 물었지요.
"폐하! 백제군이 여근곡에 숨어 있는 것을 어떻게 아셨습니까?"
그러자 선덕여왕이 웃으며 대답했어요.
"개구리 얼굴을 자세히 보면 투구를 쓴 군사의 모습과 닮았소.
그래서 나는 적군이 우리 신라를 공격해 올 거라고 생각했지요.
그리고 지금은 겨울이오.
겨울에 내리는 눈은 흰색이고, 흰색은 서쪽을 나타냅니다.
그래서 서라벌 서쪽에서 적군이
쳐들어올 거라고 생각한 것이오."
대신들은 선덕여왕의 뛰어난 지혜와 예지력*에 감탄했어요.
여자가 왕이 되었다고 불안해 하던 대신들도
점차 선덕여왕을 믿고 따르기 시작했지요.
여왕이 다스리는 나라라며 신라를 무시하던
고구려와 백제의 왕도 선덕여왕을 함부로 대하지 못했어요.

*예지력 : 앞날의 일을 미리 아는 능력

선덕여왕은 여자만이 가질 수 있는 꼼꼼함과 세심함으로 나라를 잘 다스렸어요.

자식이 많거나 노인을 모시고 사는 집에는 세금을 줄여 주었고

가난한 사람에게서는 세금을 받지 않기도 했어요.

그리고 고구려와 백제의 침입에 대비해 군사를 강하게 훈련시켰지요.

또한 나라 안에 절을 많이 짓게 했어요. 선덕여왕은 황룡사에 9층목탑을 세웠어요.

목탑의 각 층은 신라를 위협하던 일본, 중국, 오월*, 탁라*, 응유*, 말갈*, 단국*,

여적*, 예맥*, 이렇게 아홉 나라를 의미하는 것이었어요.

선덕여왕은 신라가 이 아홉 나라를 누르고 강한 나라가 되게 해 달라는

소망을 담아 9층목탑을 세웠던 거예요.

*오월 : 중국 춘추 전국 시대의 오나라와 월나라
*탁라 : 제주도의 옛 이름
*응유 : 백제를 달리 부르는 이름으로 응준과 나투라고도 함
*말갈 : 한반도 동북부 및 만주 일대에 거주하던 퉁구스계 종족
*단국 : 4세기 이래 동몽고를 중심으로 활약한 유목 민족, 거란의 다른 이름
*여적 : 만주 동부 지역에 거주하던 민족으로 청을 세운 만주족, 여진의 다른 이름
*예맥 : 한반도 중북부와 만주 중남부 일대에 걸쳐 살았던 우리나라 고대 종족의 한 갈래

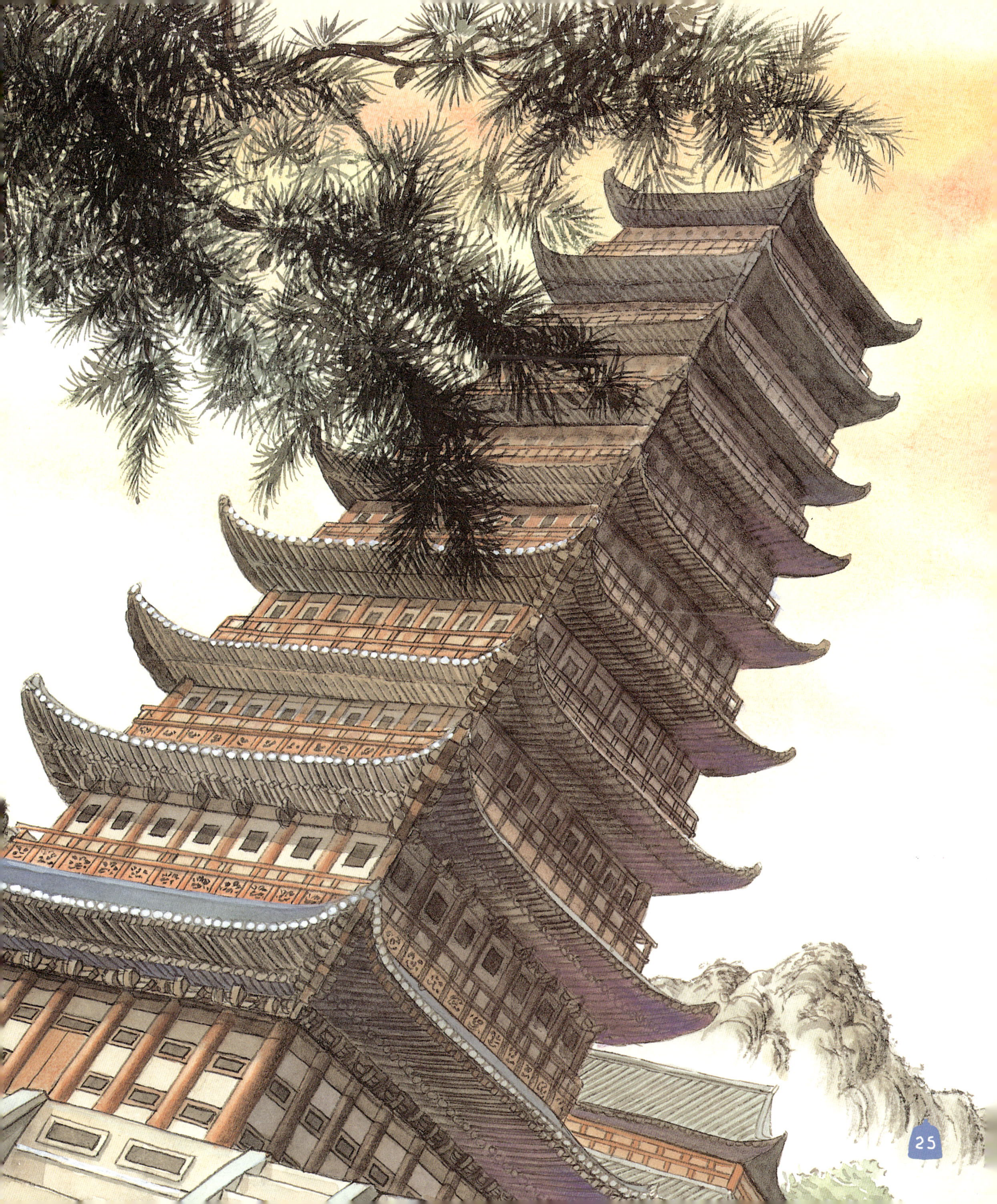

하지만 끝내 선덕여왕을 왕으로 인정하지 않는 사람이 있었어요.

바로 비담이라는 귀족이었지요.

비담은 자기가 왕이 되고 싶어서 군사를 모아 반란을 일으켰어요.

그즈음 선덕여왕이 이상한 말을 했어요.

"나는 정확히 한 달 뒤에 죽을 것이오. 내가 죽거든 승만 공주를 다음 왕으로 받드시오."

대신들은 선덕여왕의 말에 당황했지요.

"폐하! 그게 무슨 말씀이십니까? 반역자 비담은 곧 잡힐 것이옵니다.

약해지시면 아니 되옵니다."

대신들이 간절하게 말을 해도 선덕여왕은 조용히 미소만 지을 뿐이었지요.

비담의 반란을 지켜보던 김춘추가 선덕여왕에게 말했어요.

"저는 어릴 때부터 이모님을 지켜 드리겠다고 맹세했습니다.

이제 그 약속을 지킬 때입니다."

김춘추는 신라 최고의 장수 김유신과 함께 군사를 이끌고 반란군 앞으로 나아갔어요.

"여자를 왕으로 인정할 수 없다. 선덕은 왕의 자리에서 물러나라!"

비담이 이끄는 반란군의 공격에 맞서 김춘추의 군대는 격렬하게 싸웠어요.

"여왕 폐하를 모욕하고 반란을 일으킨 자들을 처단하라!"

27

반란군과 김춘추의 군대가 한참 싸우고 있을 때,
선덕여왕이 세상을 떠났어요.
선덕여왕이 세상을 떠났다는 소식을 듣자
반란군은 기세가 더욱 높아졌지요.
"선덕이 죽었다! 여자가 왕이 되는 것은 하늘의 뜻이 아니다."
김춘추와 김유신을 비롯한 장수들은 비담과 힘겹게 싸우면서
선덕여왕의 유언에 따라 승만 공주를 신라 제28대 진덕여왕으로 모셨어요.

"또 여왕이라고? 그것은 절대 안 된다!"
비담의 반란군은 더욱 거세게 공격해 왔어요.
하지만 김춘추와 김유신의 군사들도 최선을 다해 맞서 싸웠지요.
오랜 전쟁 끝에 김춘추와 김유신은 반역자 비담을 사로잡았어요.
진덕여왕은 비담의 반란군 무리에게 엄한 벌을 내렸어요.
진덕여왕은 선덕여왕을 본받아 백성들을 사랑하는
어진 왕이 되었지요.
앞날을 내다보는 지혜와 뛰어난 능력으로 나라를 잘 다스린
선덕여왕은 우리나라 최초의 여왕으로
역사에 남아 있답니다.

우리 민족 최초의 여왕

선덕여왕

영국은 한때 '해가 지지 않는 나라'라고 불릴 만큼 강한 힘을 지닌 나라였습니다. 영국 역사를 보면 여왕이 통치할 때 더욱 강하고 부유한 나라였지요. 특히 엘리자베스 1세 여왕은 오늘날까지 뛰어난 왕으로 인정받고 있습니다. 우리나라에도 엘리자베스 여왕 못지않게 유능하고 훌륭한 여왕이 있었는데 바로 신라 제27대 선덕여왕입니다.

슬하에 딸만 있었던 진평왕은 자신이 죽은 뒤에 혹시라도 나라가 혼란에 빠질까 걱정하여 미리 덕만 공주를 왕위 후계자로 정해 놓았습니다.

덕만 공주의 지혜와 뛰어난 능력은 왕으로서 모자람이 없었지만 일부 귀족들은 여자라는 이유로 덕만 공주가 왕이 되는 것을 반대했지요. 다행히 덕만 공주의 능력을 인정하는 귀족들의 도움으로 덕만 공주는 우리 민족 최초의 여왕이 될 수 있었습니다.

선덕여왕이 왕이 되자, 고구려와 백제는 신라를 얕잡아 보고 공격해 왔습니다. 하지만 그때마다 선덕여왕은 앞을 내다보는 신통한 능력을 발휘하여 적의 공격을 알아차리고 방어를 해 승리를 거두었지요. 선덕여왕은 나라 안으로는 백성의 어려운 삶을 잘 보살피고 군사력을 강하게 키웠으며 나라 밖으로는 당나라를 비롯한 외국과 교류를 활발히 하였습니다. 이렇게 정치, 경제, 군사 분야에서 뛰어난 업적을 남긴 선덕여왕은 우리나라의 성군으로 존경받고 있습니다.

선덕여왕은 지혜와 덕으로 신라를 발전시킨 우리 민족 최초의 여왕이에요.

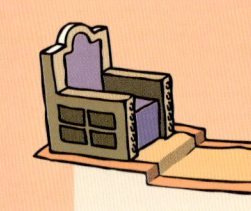

기원전 57년
신라 건국

512년
우산국 정복

532년
금관가야 정복

632년
선덕여왕
신라 제27대 왕 즉위

645년
황룡사 9층목탑 세움
백제에 빼앗긴 성 되찾음

647년
진덕여왕
신라 제28대 왕 즉위

660년
백제 정복

선덕여왕과 관련 있는 인물들

진평왕 : 신라 제26대 왕

왕위에 있었던 기간은 579~632년입니다.
왕이 된 후 여러 차례에 걸친 고구려의 공격에 대항하였고,
중국 수나라와 외교를 맺었습니다. 내정을 충실히 다졌으며,
원광 법사와 담육 스님 등을 중국에 보내 불교를 발전시켰습니다.

김춘추

선덕여왕의 뒤를 이은 진덕여왕이 죽자
군신들의 추대로 654년에 태종무열왕이 되었습니다.
왕위에 있었던 기간은 654~661년입니다.
660년 당나라와 연합하여 황산벌에서
백제를 물리치고 멸망시켰습니다.

알고 싶은 요모조모

선덕여왕을 사랑한 '지귀'

지귀는 신라의 가난한 청년으로 선덕여왕을 무척 사랑했습니다. 하지만 이루어질 수 없는 사랑에 괴로워한 지귀는 결국 미쳐 버리고 말았답니다. 이 소식을 들은 선덕여왕이 지귀를 가엾게 여겨 지귀가 잠든 틈에 자신이 끼고 있던 금팔찌를 지귀의 손에 쥐어 주었습니다. 이를 알게 된 지귀가 기뻐한 나머지 몸에서 불이 났답니다. 불귀신이 된 지귀가 서라벌에 불을 내고 다니자 선덕여왕이 지귀를 달래는 노래를 지어 널리 알렸습니다. 이루어질 수 없는 지귀의 사랑 이야기를 들은 신라 사람들은 안타까움의 눈물을 흘렸다고 합니다.

668년	676년	751년	828년	888년	935년
고구려 정복	삼국 통일 통일 신라 시대 시작	불국사 창건	청해진 설치	향가집 《삼대목》 편찬	신라 멸망

궁금증을 풀어 주는 미로여행

Q1. 선덕여왕은 적군이 침입해 올 것을 어떻게 알 수 있었나요?

Q2. 귀족들은 여자가 왕이 되는 것을 왜 반대했을까요?

Q3. 선덕여왕은 결혼하지 않았나요?

Q4. 선덕여왕은 어떻게 자기가 죽을 날을 알았을까요?

Q5. 선덕여왕의 뒤를 이은 진덕여왕은 나라를 잘 다스렸나요?

선덕여왕은 평생 결혼하지 않은 것으로 알려져 있는데 사실은 선덕여왕에게도 **음갈문왕**이라는 남편이 있었다고 해요. 하지만 역사 기록에는 선덕여왕의 남편에 대한 내용은 전해지지 않아요.

우리나라에서는 전통적으로 자식은 아버지의 성을 따르지요. 그래서 여왕이 낳은 자식이 장차 왕이 되면 왕실의 성이 바뀌게 되는 셈이지요. 이렇게 되면 여왕의 친족인 왕족과 가깝게 지내던 귀족들은 **권력**을 잃을 수도 있었지요. 그래서 여자가 왕위에 오르는 것을 반대했어요.

선덕여왕의 뒤를 이어 진덕여왕이 왕위에 오르자 신라는 다시 혼란스러워졌지요. 역사를 기록하던 사람들은 여왕이 남자 왕에게 뒤지지 않는다는 것을 증명하여 나라를 안정시키려 했어요. 이러한 이야기도 선덕여왕의 능력을 **과장**하기 위해 만들어 낸 이야기일 수 있다고 해요.

진덕여왕은 재능과 미모를 두루 갖춘 왕이었어요. 진덕여왕은 김춘추, 김유신과 힘을 합쳐 왕권을 강화하고 나라를 안정시키는 한편, 당나라와 관계를 잘 유지하여 **삼국 통일**의 기틀을 마련했답니다.

흔히 **지혜로운 사람**에게는 앞을 내다보는 능력이 있다고 하지요. 선덕여왕은 책을 많이 읽고 신라의 여러 산과 들을 연구했기 때문에 신라의 지리에 대해서 많이 알고 있었어요. 선덕여왕의 뛰어난 지혜와 지식으로 적의 침입을 미리 알아차릴 수 있었답니다.